Gluren
het

Maria van Eeden
Tekeningen van Alice Hoogstad

1e druk 2008
ISBN 978.90.487.0050.9
NUR 286

© 2008 Tekst: Maria van Eeden
Illustraties: Alice Hoogstad
Uitgeverij Zwijsen B.V. Tilburg

Voor België:
Zwijsen-Infoboek, Meerhout
D/2008/1919/355

Inhoud

1. Buren?

Maas hangt languit op de bank.
'Ik verveel me dood!' zucht hij.
'Er is hier nooit iets te doen!'

Zijn moeder kijkt op van haar werk.
'Niet zo zeuren, Maas,' zegt ze.
'Je hebt echt genoeg om te spelen.
Of ga lekker naar buiten.
De zon schijnt al de hele dag.
Het is jammer om binnen te blijven.'

'Wat heb ik daar nou aan!' roept Maas.
'Ik wil niet buiten spelen.
Pieter en Derk zijn er toch niet.
Die zijn lekker naar zee.
Een hele maand lang.
En ik zit alleen maar hier!
Er is niemand om iets mee te doen.
Zelfs jij hebt nooit tijd voor me.'
Hij geeft een schop tegen de bank.

Zijn moeder zegt niets terug.
Maas kijkt hoe ze werkt.
Voor haar ligt een stapel brieven.
Eerst plakt ze die dicht.
Dan legt ze de brieven in een doos.
Haar handen gaan heel snel.
Al vlug is de doos vol.

Maar ze is nog lang niet klaar.
Er liggen nog veel meer brieven.
Het werk van zijn moeder stopt nooit.

Dan hoort Maas opeens iets.
Er komt een auto de straat in rijden.
Hij stopt vlak voor hun huis.

Maas holt naar het raam.
Ja, er staat een grote wagen.
Twee mannen stappen eruit.
Ze lopen naar het huis naast hen.

'Mam, kom eens kijken!' roept Maas.
'We krijgen buren, denk ik!'
Zijn moeder komt erbij staan.
'Het werd tijd ook!' zegt ze.
'Dat huis stond al zo lang leeg.
Ga maar gauw buiten kijken.
Wie weet komt er een jongen wonen.
Dat hoop ik echt voor je.'
'Hm!' bromt Maas.
'Het kan ook een meisje zijn.
En dan heb ik wel pech.
Want aan meisjes heb je niets!'
Zijn moeder schiet in de lach.
'Ik ben ook een meisje hoor!' zegt ze.
'Aan jou heb ik ook niks!' zegt Maas.
Maar nu moet hij zelf ook lachen.
Dan holt hij naar buiten.
Hij gaat op een paaltje zitten.

De zon schijnt fel op zijn hoofd.
Maar daar voelt hij nu niets van.
Wie zouden er naast hem komen wonen?
Dat wil hij weten.

Hij kijkt wat de mannen doen.
Ze sjouwen van alles uit de wagen.
Eerst heel veel zware dozen.
Dan een grote kast en een tafel.
Een stel stoelen en een stapel planken.
Iets wat op een bed lijkt.
Spullen voor de keuken …
Het is te veel om op te noemen.
Maar Maas ziet niks voor een kind.
Zelfs niet voor een meisje.

Het is zwaar werk.
Zeker met die hitte.
De mannen sjouwen maar door.
Alles gaat de auto uit en het huis in.

Na een uurtje is de wagen leeg.
De mannen doen de klep dicht.
Daarna stappen ze voorin.
De auto start.
Dan is de straat weer leeg.

Maas weet nog steeds niets.

2. Op het dak

Maas ligt in zijn bed.
Al een hele tijd.
Het is vast al erg laat.
Maar het is nog steeds een beetje licht.
Slapen lukt hem niet.
Daar is het veel te warm voor.
Het raam staat wijd open.
Dat helpt niet veel.
Want buiten is het ook warm.

Opeens hoort hij een raar geluid.
Het komt van buiten.
Er sleept en bonst iets.
Wat zou zijn moeder nou aan het doen zijn?
Maas gaat naar het raam.
Zijn moeder is niet in de tuin.
Zouden het dan de buren zijn?
In hún tuin kan Maas niet kijken.
Het schuurtje staat in de weg.

Maas loopt de trap af.
Zijn moeder is gewoon in de kamer.
Ze zit naar een film te kijken.
'Wat is er, Maas?' vraagt ze.
'Er is niks!' zegt Maas.
Hij gaat weer terug naar zijn bed.
En dan slaapt hij toch in.

Het stormt in zijn droom.
De boot van Maas zwiept heen en weer.
Hoog en laag gaat zijn boot.
Het zeil slaat hard tegen de mast.
Klap, bonk, bonk!
Maas wordt wakker door het lawaai.
Hij ligt gewoon in zijn eigen bed.
Maar het waait wél echt.
De wind waait recht zijn kamer in.
Brr, het is koud.
Vlug pakt Maas zijn dekbed.
Dat slaat hij om zich heen.
Lekker warm zit hij zo!
Het is al licht buiten.
Maar het is vast nog heel vroeg.

Klap, bonk, bonk!
Maas hoort het geluid nog steeds!
En nu droomt hij niet.
Het zijn zeker de buren.
Wat zouden ze aan het doen zijn?
Maas buigt zover hij kan uit het raam.
Maar hij ziet nog steeds niets.
Toch wil hij weten wat er gebeurt.
Zachtjes klimt hij het raam uit.
Hij laat zich omlaag zakken.
Het lukt hem.
Hij staat op het dak van het schuurtje.
Maas rilt.
Het is best een beetje eng, zo hoog!
Voetje voor voetje loopt hij.

Au, het prikt aan zijn blote voeten!
Hij sluipt naar de rand van het dak.
Daar bukt hij.
Hij gluurt in de tuin van de buren.
Nou ja, tuin …
Er is daar geen plant te zien.
Het is meer een plaats.
Er staat een man te werken.
Een oude man.
Hij maakt iets van hout.
Het is iets groots.
Maar Maas kan niet zien wat het is.

Brr, Maas krijgt het een beetje koud.

Hij kruipt weg van de rand.
Dan klimt hij zijn eigen raam weer in.
Hij gaat op zijn bed zitten en denkt na.
Die oude man die hij daar zag werken.
Zou dat zijn buurman zijn?
Nou, daar heeft hij dus niets aan!

Buiten gaat het werk gewoon door.
Klap, bonk, bonk!
Wat zou dat worden?

3. Woont er toch een meisje?

Nou, dit weer noemt Maas geen zomer!
Het waait al bijna de hele dag.
Af en toe valt er een buitje regen.
Maas ligt sloom op de bank.
Een paar keer zucht hij diep.
Zijn moeder is druk bezig met haar werk.
'Niet zo hangen, Maas,' zegt ze.
'Ga eens wat doen.
Je mag wel koekjes gaan bakken.
Dat kun jij zo lekker!'
'Geen zin!' zegt Maas.

'Weet je wat,' zegt zijn moeder.
'Loop maar eens naar de buren.
Dan zeg je wie je bent en waar je woont.
Vraag of je kunt helpen.
Jij kent de buurt hier goed.'
'Dat vind ik stom!' zegt Maas.
Hij loopt de kamer uit.
En hij stampt de trap op.

Hij gaat voor zijn raam staan.
Tak, tak, klop.
De buurman is nog steeds aan het werk.
Zou je al wat kunnen zien?
Maas klimt weer uit het raam.
Het dak van het schuurtje is nat.
En nu is het ook glad.

Hij glijdt haast uit.
Oef … het gaat maar net goed.
Maas kruipt naar de rand van het dak.
De buurman zaagt net een plank door.
Maar Maas kan niet zien wat hij maakt.
Toch blijft hij kijken.

Dan vallen er weer druppels.
De buurman kijkt naar de lucht.
Maas duikt weg achter de rand.
Mooi, hij is niet gezien.

De man sloft naar binnen.
Maas blijft op het dak.
Hij is toch al kletsnat.
Hij gaat staan.
Zo kan hij zien wat de buurman maakt.
Het wordt een soort hok.

Waarom zou hij een hok maken?
Zou de buurman dan een hond hebben?
Maas kijkt nog wat beter.
De deur van het hok is klein.
Daar kan nooit een hond door.

'Wat ben jij aan het loeren?'
Maas schrikt.
Hij valt bijna van het dak.
Er staat een meisje bij de poort.
Ze heeft een fiets bij zich.
Die zet ze neer naast de poort.

16

'Nou?' vraagt ze.
'Wat sta je daar te gluren?'
'Ik gluur niet!' roept Maas terug.
'En ik sta op mijn eigen dak.'

Het meisje loopt de tuin door.
'Woon jij daar?' roept Maas.
Het meisje zegt niets terug.
'Hoe heet jullie hond?' roept Maas dan.
Nu staat het meisje even stil.
'Onze hond?' vraagt ze.
'Ja!' wijst Maas, 'dat is toch een hok!'
'O, bedoel je dat!' zegt het meisje.
'Mijn opa heeft geen hond hoor.
Hij houdt duiven.'
Dan gaat ze het huis binnen.
Maas hoort haar roepen.
'Opa, ben je boven?'

Stom kind, denkt Maas.
Een geluk dat zij geen buren zijn.
En duiven, wat heb je daar nou aan!
Een hond, dat zou wel leuk zijn.
Dan gaat hij ook maar naar binnen.

4. Loeren

Een dag later is het opeens weer warm.
En de dagen daarna ook.
Vreemd hoor!

Maas zit vaak op het dak.
Het is leuk om te kijken daar.
Het hok voor de duiven is klaar.
Het hangt ook al aan de muur.
Het ziet er echt heel mooi uit.
En de duiven zitten er al een tijdje in.
Maas kan de vogels niet zien.
Maar je hoort ze wel.
'Roe-koe, roe-koe!'
Zo gaat het de hele dag door.
Als Maas wakker wordt, hoort hij het al.

De buurman is elke dag buiten.
Hij maakt nog meer dingen.
Een kapstok en een houten rek.
Dat doet hij echt knap.
Maar hij weet niet dat Maas steeds kijkt.
Daar zorgt Maas wel voor.

'Hoi opa!'
Het hek gaat open.
Daar is dat meisje weer.
Noor heet ze.
Dat weet Maas nu wel.

Hij hoort alles wat de buren zeggen.

Noor is bijna elke dag bij haar opa.
Ze zijn samen een bed aan het maken.
Dan kan Noor ook blijven slapen.
Noor werkt zelf hard mee.
Ze weet er heel wat van.
Dat ziet Maas heus wel.

'Zeg opa,' hoort hij Noor vragen.
'Mogen de duiven al uit het hok?'
'Nee, vandaag nog niet,' zegt haar opa.
'Nog een paar dagen wachten.
Duiven verhuis je niet zomaar.
Die moeten eerst een weekje wennen.
Zodat ze hun huis terug kunnen vinden.'
'Jammer!' zegt Noor.
'Ik vind ze altijd zo lief!'
Lief? denkt Maas.
Wat is er nou lief aan een duif!

'Maas, kom je eten?'
Dat is de stem van zijn moeder.
Oei, als ze maar niet boven komt.
Want hier mag hij vast niet zitten.
Vlug klimt hij naar binnen.
Maar hij vergeet stil te doen.

Al gauw is hij klaar met eten.
'Ik ga weer naar boven!' zegt hij.
'Zou je dat wel doen?' vraagt zijn moeder.

'Je zit zo vaak binnen.
Ga toch eens naar buiten.
Dat is veel beter voor je.'

Maar Maas gaat toch naar boven.
Hij wipt het dakje op.
Vlak bij de rand gaat hij liggen.

Noor en haar opa eten gewoon buiten.
'Het is lekker opa,' zegt Noor.
'En wat fijn dat je hier nu woont!
Eerst woonde je veel te ver weg.'
Haar opa geeft haar een zoen.
'Ja, het is fijn samen,' zegt hij.
'Wacht, ik moet even wat halen.
Er staan nog ijsjes in de koelkast.'
Hij loopt naar binnen.

Dan kijkt Noor naar boven.
'Ik hoor je heus wel, hoor!' roept ze.
'Ik weet best dat je daar altijd zit.
Je loert de hele tijd.'

Maas zegt niets terug.
Hij glipt naar binnen.
Daar gaat hij op zijn bed liggen.

5. Een kat

Maas gaat niet meer op het dakje.
Al twee lange dagen niet.
Hij hangt wat rond in zijn kamer.
Hij leest af en toe een beetje.
En soms speelt hij wat.
Maar daar wordt hij niet echt blij van.
Hij denkt steeds maar aan de buren.
Aan Noor en haar opa.
Hoe zij samen aan het werk zijn.
Zij gaan maar niet uit zijn hoofd.

Opeens krijgt Maas een plan.
Hij gaat zelf ook iets maken.
Een rekje voor zijn boeken!
Dat kan hij vast wel alleen.
En dan heeft hij ook iets leuks te doen.
Hij holt de trap af.
In het schuurtje staat geen hout.
Maar hij vindt wel een hamer.
Dan holt hij naar de zolder.
Daar staan een paar planken.
Die zijn wel erg groot!
Hij moet ze eerst in stukken zagen.

Maas sleept de planken de trap af.
Het bonkt op elke tree.
Hij legt de planken in de tuin neer.
Nu de zaag, waar is die?

23

Maas zoekt ernaar in het schuurtje.
Hij zoekt op de zolder en in de kelder.
Geen zaag te vinden!

Zijn moeder komt kijken wat hij doet.
'Maar Maas,' zegt ze.
'Dat hout mag je niet hebben.
Dat is van een heel goede kast.
Maar weet je,' zegt ze.
'Met dit werk verdien ik wat geld.
Wacht nog drie weken.
Dan ben ik er klaar mee.
En dan koop ik een mooi rek voor je.'
'Je snapt het niet!' roept Maas.
'Ik wil zélf een rek maken.
Daar gaat het nou juist om!'

Zijn moeder zucht.
'Maak maar iets leuks van je lego.
Je hebt een hele kist vol!
Of ga anders naar het zwembad.'
'Zeker in mijn eentje!' roept Maas.
'Ik blijf liever hier.'
Hij holt naar zijn kamer.
Met een klap slaat hij de deur dicht.

Hij gaat op zijn bed liggen.
Dan hoort hij buiten iets:
'Roekoe, roekoe!'
Dat zijn de duiven van de buurman.
Het klinkt dichtbij zijn raam.

24

Maas komt van zijn bed af.
Nu ziet hij het.
De duiven zijn vandaag los.
Hoeveel zouden er zijn?
Maas klimt op het dakje.
Maar tellen lukt niet.
De duiven vliegen veel te snel.

Opeens ziet Maas nog iets.
Er zit een kat in de tuin van de buren.
Hij zit vlak onder het hok.
Het is een dikke, rode kat.
Hij loert op de duiven.
Hoe komt dat beest daar nou?

'Ksst weg!' roept Maas.
Maar de kat hoort hem niet.
Straks pakt hij nog een duif!
Waar is de buurman nou?

'Hallo!' roept Maas zo hard hij kan.
Er komt geen mens de tuin in.
De kat kijkt wel even naar hem.
Dan loert hij weer naar de duiven.
Dit kan nooit goed gaan!

6. Toch maar zwemmen

Maas holt de trap af.
Hij holt het huis uit, de tuin door.
Het paadje over naar de buren.
Hij gooit de poort van de buren wijd open.
Vlug rent hij hun tuin in.
'Vort!' roept hij naar de rode kat.
'Ksst, ga weg jij!!'
Het dier schrikt.
Met een sprong zit hij op de muur.
Dan is hij weg.

Het hart van Maas klopt wild.
Hij was net op tijd.
Wat een geluk.

Daarna kijkt hij om zich heen.
Hier werkt de buurman dus altijd.
Wat heeft hij daar veel spullen voor!
Maas kijkt zijn ogen uit.
Het schuurtje is ook fijn.
Een mooie plek om te werken.
En wat staat er veel hout!

'Wat doe jij hier?' klinkt een stem.
'Wat moet je in onze tuin?'
Maas schrikt zich haast dood.
Bij de poort staat Noor.
Ze kijkt zó kwaad.

Maas voelt dat hij vuurrood wordt.
Net of hij iets ergs heeft gedaan.
Hij slikt.
'Ik, ik …'
Zijn stem doet het niet.

Noor zet haar fiets naast de poort.
Ze komt naar hem toe.
'Wat was je van plan?'
'N-niks!' zegt Maas.
'Er zat een kat in de tuin te loeren.
Ik joeg hem alleen maar weg!'
'Ik geloof je niet!' zegt Noor.
'Want wat deed je dan bij het schuurtje?'

Dan gaat de deur van het huis open.
De buurman komt de tuin in lopen.
'Wat is er Noor?' vraagt hij.
'Wat is hier aan de hand?'
Noor pakt Maas bij zijn arm beet.
'Hij wilde …' zegt ze.
'Laat me met rust!' roept Maas.
Hij duwt Noor opzij.
Hij rent de tuin uit, naar huis.
'Mam,' roept hij, 'Mam!'
'Mag ik wat geld hebben?
Ik ga toch maar zwemmen.'
'Wat een haast opeens!' lacht zijn moeder.
Ze geeft Maas ook geld voor een ijsje.
'Zwem maar lekker!' roept ze hem na.

Maas fietst naar het zwembad.
Hij trapt zo hard hij kan.
Die meid … denkt hij, die rotmeid!
Ik wil haar nooit meer zien.
Het duurt lang voor hij weer kalm is.
Maar dan is zwemmen best fijn.
De zon is warm en het water is koel.
Aan Noor denkt hij allang niet meer.
Ook niet als hij weer naar huis fietst.

Hij gaat best laat naar bed die dag.
Nog steeds is het warm.
Het raam staat wijd open.

Er is bezoek bij de buren.
Ze zitten met zijn allen buiten.
Het lijkt wel feest daar.
Maas hoort ook de stem van Noor.
Ze lacht hard.

Maas stapt uit zijn bed.
Hij loopt naar het raam.
De maan staat al hoog in de lucht.
Maar toch is het nog licht.
Ook de duiven slapen nog niet.
'Roe-koe, roe-koe!'

Maas klapt zijn raam dicht.

7. Weer een dag met regen

Een dag later is het opeens weer koud.
Er valt heel wat regen.
Maas móet wel binnen blijven.
Maar hij heeft geen zin om te lezen.
Zal hij een film gaan kijken?
Of een spel spelen?
Nee, daar heeft hij ook geen zin in.

Hij gaat voor het raam staan.
Kijk, de duiven zijn wel buiten.
Die hebben geen last van de regen.
Ze vinden het fijn om te vliegen.
Dat kan je zo zien.
Met zijn allen scheren ze langs.
Eerst gaan ze recht omhoog.
Ze maken een rondje in de lucht.
Dan duiken ze omlaag.
Lekker moet dat zijn, vliegen.
Maas zou het zelf ook wel willen.

Weet je wat, hij gaat een vliegtuig maken!
Maas gooit zijn kist met lego om.
Hij maakt een begin van een vliegtuig.
Maar al gauw stopt hij daarmee.
Dit is ook niet wat hij leuk vindt.
Hij wil niet de hele tijd stilzitten.
Hij wil echt iets dóen!
Iets maken met zijn handen!

Niet van lego, maar van hout.
Net zoals de buurman het doet.

Zou hij zelf een vliegtuig kunnen maken?
Nou, in elk geval niet hier binnen.
Hier is het veel te klein om te werken.
Daar moet je meer plek voor hebben.

Maas loopt naar het schuurtje.
Er is daar ook niet veel plek.
Het staat vol met oude spullen.
Ik ruim het gewoon op, denkt Maas.
Dan kan ik hier lekker aan de gang.
Hij gaat meteen aan het werk.
Hij sjouwt en ruimt en veegt.
Veel troep gooit hij weg.
Er gaat ook van alles naar de zolder.
Maas loopt trap op trap af.
Wel tien of twaalf keer.

'Wat doe je toch?' vraagt zijn moeder.
'Kom maar kijken!' zegt Maas trots.
Ik ruim het schuurtje op.
Dan kan ik daar aan het werk.
Zijn moeder loopt met hem mee.
Maar voor het schuurtje blijft ze staan.
Ze wijst naar boven.
'Kijk eens wat leuk, Maas.
Er zit een kat op het dakje!
Is die van de buren?'
'Een kat, nee toch!' roept Maas uit.

Maar hij ziet dat het waar is.
Die dikke, rode kat zit op hun schuurtje.
'Ksst, ga weg!' roept Maas.
Maar de kat trekt zich niets van hem aan.

Maas holt zo vlug hij kan naar boven.
Zie je wel.
Die kat zit te loeren.
En de duiven hebben niets in de gaten.
Maas geeft een harde schreeuw.
De kat schrikt.
En de duiven schrikken ook.
Ze vliegen hoog op.
De kat holt naar de rand van het dakje.
Hij neemt een sprong.
Dan zit hij op een boomtak.
Roetsj, roetsj!
Langs de stam en weg is hij.

'Wat is er nou?' vraagt zijn moeder.
'Waarom doe je zo kwaad tegen die kat?
Hij mag toch best op ons dakje zitten?'
Maas legt het uit van de duiven.
Zijn moeder aait over zijn haar.
'Goed gedaan,' zegt ze.

8. Niks lukt

Het werken valt Maas niet mee!
Hij heeft nu een goede zaag.
Ook heeft hij een hamer en spijkers.
En een lange plank en wat latjes.
Maar een vliegtuig maken?
Dat lukt hem niet zo één twee drie.
Het gaat elke keer fout.
Zijn moeder kan hem niet helpen.
'Daar weet ik niets van,' zegt ze.
'En ik heb er ook geen tijd voor!'
Had ik zelf maar een opa, denkt Maas.
Die zou het me vast wel leren.

'Ik doe het nog één keer,' bromt hij.
'Als het dan nog niet gaat …
Dán houd ik ermee op!'

Maas gooit de zaag op de grond.
'Niks lukt ooit!' roept hij
Hij holt naar zijn kamer.

Kwaad staart hij uit het raam.
Hij likt aan zijn hand.
Het is vreemd stil buiten.
Maas hoort de duiven niet.
Hij ziet er ook geen in de lucht.
Er liggen wel veertjes op het dak.
Een klein, wit hoopje veren.

Wát ziet hij daar liggen?
Is dat alleen een hoopje veren?
Maar dat is … nee toch!
Maas houdt zijn adem in.
Hij klimt het raam uit.
Hij knielt neer bij het hoopje veren.
Ja, het is wat hij dacht.
Daar ligt een duif!

De duif ligt doodstil.
Er zit wat bloed op zijn borst.
En er zit een knak in zijn vleugel.
Zou hij dood zijn?
Maas kijkt in de tuin van de buren.
Er is geen mens te zien.
Wat moet hij nu doen?

Dan gaat een oog van de duif open.
Het dier draait zijn kopje.
De duif leeft nog!
Maas slikt en slikt.
Hij wil niet gaan huilen.
Maar hij moet wel wat doen.
Die duif moet hulp hebben.

Maas pakt de duif op.
Hij doet het zo zacht als hij kan.
Het diertje is heel licht.
Het voelt warm in zijn hand.
En zijn hartje klopt heel snel.
'Stil maar!' zegt Maas een paar keer.

34

'Ik zorg wel voor je.'

Hij klimt het raam binnen.
Zo met die duif gaat dat niet zo snel.
Maar het lukt Maas wel.
Hij loopt naar het huis van de buren.
De duif houdt hij dicht tegen zich aan.
Hij bonkt met zijn voet op de deur.
'Help!' roept hij.
'Kom, snel!'

De buurman doet de deur open.
'Wat is er?' vraagt hij.
Dan ziet hij de duif.
'Kom binnen, jong!' zegt hij.
Maas loopt met hem mee.
'Geef hem maar hier!' zegt de buurman.
Maas kijkt naar de duif in zijn hand.
Het diertje kijkt hem aan.
Zijn oogjes staan heel fel.

Maas zucht diep.
'Ik vind hem lief,' zegt hij.
'Ik hoop dat hij niet doodgaat.'

36

9. Bij de buren

De buurman legt de duif op de tafel.
'Stil maar,' zegt hij tegen de vogel.
Hij kijkt tussen zijn veren.
En hij voelt aan die ene vleugel.
'Het valt mee!' zegt hij dan.
'Het komt wel weer goed met hem.
Kom over een week nog maar eens kijken.'
Hij pakt een klein netje uit de kast.
Dat doet hij om het lijf van de duif.
'Waar is dat voor?' vraagt Maas.
De buurman legt het uit.
'Zo krijgt de vleugel rust.
Ik hang de duif in het hok.
Dan hoeft hij niet zelf te staan.
We hebben geluk dat jij hem vond.
Met al die regen vandaag …
Hij zou zeker dood zijn gegaan.'

'Het komt door die rode kat!' zegt Maas.
'Dat is echt een gemeen beest!'
'Katten zijn niet vals,' zegt de buurman.
'Maar ze pakken wel vogels.
Katten kunnen niet anders.
Maar hoe houd ik ze weg van mijn duiven?'

'Daar weet ik wel wat op,' zegt Maas.
'Er staat een grote boom in onze tuin.
Daar zit een heel lange tak aan.

Van daaraf klimt een kat zo op de muur.
Die ene lange tak moet er vanaf.
Maar ik denk niet, dat ik dat alleen kan.'
'Dan doen we het samen,' zegt de buurman.

De deur van de kamer gaat open.
Noor komt binnen.
'Opa, weet je ...' zegt ze.
Dan opeens ziet ze Maas daar staan.
Ze krijgt een kleur.
'Noor, dit is Maas!' zegt de buurman.
'Hij heeft een duif gered.'
'Fijn!' zegt Noor kortaf.
Maar ze kijkt Maas daarbij niet aan.
De buurman kijkt van Noor naar Maas.
'Kennen jullie elkaar?' vraagt hij.
'Nee!' zegt Noor hard.
Maas schudt ook van nee.
'Goed zo,' lacht de buurman.
'Dan kennen jullie elkaar nu!
Wie wil er een lekker glaasje sap?'

'Ik moest meteen naar huis!' piept Maas.
Hij wil snel de kamer uitgaan.
Maar de buurman zegt: 'Wacht even!
Ik loop met je mee naar jullie boom.
Dan halen we die lange tak er nu af.
Kom je ook mee, Noor?'
'Nee, ik blijf liever hier,' zegt Noor.

De buurman pakt een ladder.

Maas draagt de zaag.
Ze lopen de tuin van Maas in.
'Daar ligt al een zaag,' zegt de buurman.
'Wie werkt er hier met hout?'
'Ik zou het wel willen,' bromt Maas.
'Maar ik kan er niks van!'
'Je kunt het toch leren,' zegt de buurman.
'Je leert het alleen door het te doen.'
Hij kijkt in het schuurtje.
'Fijne plek!' zegt hij.
Dan gaan ze samen aan het werk.
De buurman wijst alles aan.
En Maas doet wat hij zegt.
Al gauw zijn ze ermee klaar.
'Dat ging goed samen,' zegt de buurman.
'Weet je wat je kunt doen?
Kom af en toe eens bij mij helpen.
Dan leer ik je het een en ander.'
Hij pakt de ladder weer op.
En hij wil de tuin al uitgaan.

'Ik wil graag komen!' zegt Maas.
'Maar vindt Noor dat wel leuk?'
'Vast en zeker,' zegt de buurman.
'Deze zomer is erg saai voor haar.
Al haar vrienden zijn weg.
Daarom is ze zo vaak bij mij.
Ik denk dat ze het juist leuk vindt.'
Maar Maas is daar niet zo zeker van.

10. Koekjes

Maas heeft vandaag koekjes gemaakt.
Een hele bakplaat vol.
Ze zien er lekker uit.

Zijn moeder komt de keuken binnen.
'Maas, de buurman belde net op.
Of je nu naar de duif komt kijken.
Ik zei dat je wel tijd hebt.'
Leuk! denkt Maas.
Hij wil meteen weggaan.
Maar dan denkt hij aan Noor.
Opeens heeft hij geen zin meer.
'Wat is er?' vraagt zijn moeder.
Ze pakt een warm koekje van de plaat.
'Mmm, ze smaken lekker!' zegt ze.

De koekjes!
Maas weet al wat hij kan doen.
Hij stopt wat koekjes in een zakje.
Dat neemt hij mee naar de buren.

De buurman staat al bij de deur.
'Het gaat beter met de duif,' zegt hij.
'Dat wou ik je even laten zien.'
Hij neemt Maas mee naar binnen.

En ja hoor, net wat Maas dacht.
Noor is ook in de kamer.

'Hoi!' zegt Maas zachtjes.
Noor bromt wat.
Ze is nog steeds kwaad, zo te zien.
Haar opa merkt het niet.
'Ik ga iets lekkers halen,' zegt hij.
Daarna gaan we naar de duif kijken.
Hij loopt de kamer weer uit.
Daar zitten ze nou samen.
Noor zegt geen woord tegen Maas.
Het voelt raar.
'Ik-ik heb iets bij me,' zegt Maas.
'Wat dan?' vraagt Noor.
Maas legt het zakje op de tafel.
'Koekjes!' zegt hij.
'Ik heb ze zelf gemaakt.'
'Echt waar?' vraagt Noor.
Ze kijkt naar Maas.
Dan maakt ze het zakje open.
'Ze ruiken lekker,' zegt ze.

Haar opa komt binnen met het sap.
'Wat ligt daar nou op tafel?' vraagt hij.
'Koekjes!' zegt Noor.
'Maas heeft ze zelf gemaakt.'
'Wat knap!' zegt de buurman.
'Ik kook en bak heel vaak!' zegt Maas.
'Echt waar?' vraagt Noor weer.
Ze eten elk een paar van de koekjes.
'Dat was echt lekker!' zegt de buurman.
'Kom, we gaan naar onze duif kijken.'
De duif ziet er weer gezond uit.

Hij wipt op en neer in zijn netje.
Hij zit niet in het grote hok.
Maar hij heeft een mooi, klein hokje.
Maas houdt hem even vast.
'Wat is hij lief!' zucht hij.
Dan zet hij de vogel weer in zijn hok.
'Dit vind ik pas knap!' zegt Maas.
'Als je dingen zelf kunt maken.
Want dat kan ik dus echt niet!'
'Ik weet wat!' zegt de buurman.
'Jij leert mij koekjes bakken,
En dan leer ik jou ...'
'Ik wil ook meedoen!' roept Noor.
'Leer jij mij dan koken, Maas?
Dat lijkt me tof.'

Maas kijkt naar Noor.
'Leren koken duurt lang,' zegt hij.
'Tijd genoeg,' zegt Noor.
De zomer duurt ook heel lang.
Of wil je niet met een meisje?'
Nu lacht ze naar Maas.
En Maas lacht met haar mee.